Geneviève L-Bédard 6°B

#9   2,50 $

D0611021

Princesse Katie
et le Balai Dansant

Cet ouvrage a initialement paru en langue anglaise en 2006
chez Orchard Books sous le titre :
Princess Katie and the Dancing Broom.
© Vivian French 2006 pour le texte.
© Sarah Gibb 2006 pour les illustrations.

© Hachette Livre 2007 pour la présente édition.

Adapté de l'anglais par Natacha Godeau

Conception graphique et colorisation : Lorette Mayon

Hachette Livre, 43 quai de Grenelle, 75015 Paris

Vivian French

PRINCESSE
Academy
Les Tours d'Argent

Princesse Katie
et le Balai Dansant

Illustrations de Sarah Gibb

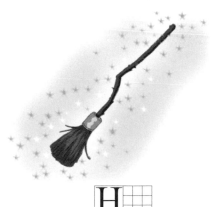

HACHETTE

PRINCESSE
Academy
Les Tours d'Argent

Institution
pour Princesses Modèles

Devise de l'école :

Une Princesse Modèle
est honnête, aimable
et attentionnée.
Le bien-être des autres
est sa priorité.

*Les Tours d'Argent dispense
un enseignement complet à l'usage
des princesses du Club du Diadème.
Sorties de classe privilégiées.
Notre programme inclut :*

- Cours de Grâce et de Majesté
- Étude des Mésententes Ministérielles
- Stage chez Sylvia l'Herboriste
(Sorcière Guérisseuse du Royaume)
- Visite du Musée d'Histoire Souveraine
(Pomme Empoisonnée sécurisée)

Notre directrice, la Reine Samantha,
assure une présence permanente
dans les locaux. Nos élèves sont
placées sous la surveillance
de Fée Angora, enchanteresse
et intendante de l'établissement.

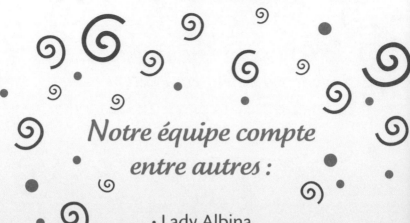

*Notre équipe compte
entre autres :*

• Lady Albina
(Secrétaire de Direction)

• La Reine Mère Matilda
(Maintien et Bonnes Manières)

• Le Prince Dandy,
Dauphin de la Couronne
(Sorties et Excursions)

• Marraine Fée
(Enchanteresse en Chef)

Les princesses du Club du Diadème
reçoivent des Points Diadème afin
de passer dans la classe supérieure.
Celles qui cumulent assez de points
aux Tours d'Argent accèdent
au Bal de Promotion, au cours
duquel elles se voient attribuer
la prestigieuse Écharpe d'Argent.
Les princesses promues intègrent
alors en troisième année
le Palais Rubis, notre établissement
magistral pour Princesses Modèles,
afin d'y parfaire leur éducation.

*Le jour de la rentrée,
chaque princesse est priée
de se présenter à l'Académie
munie d'un minimum de :*

- Vingt robes de bal (avec dessous assortis)
- Cinq paires de souliers de fête
- Douze tenues de jour
- Trois paires de pantoufles de velours
- Sept robes de cocktail
- Deux paires de bottes d'équitation
- Douze diadèmes, capes,
  manchons, étoles, gants,
  et autres accessoires indispensables.

Bonjour ! Comment vas-tu ?

C'est si gentil de nous tenir compagnie
aux Tours d'Argent !
Au fait, tu nous connais déjà toutes, non ?
Je suis Princesse Katie. Je partage la Chambre
des Roses d'Argent avec mes amies,
les princesses Charlotte, Alice, Émilie,
Daisy et Sophie.
Nous travaillons dur, à l'Académie,
pour obtenir nos Points Diadème. Sans eux,
pas question de passer en troisième année !
Mais je t'assure que ce n'est pas facile…

… Surtout quand les jumelles Précieuse et Perla
s'amusent à nous compliquer la vie !

*À Judith Elliott avec amour
et admiration, V. F.*

À Rosa, merci pour ton aide, S. G.

Chapitre premier

— Ma chère Précieuse, pourrais-tu demander à Daisy de nous passer la confiture ? On ne se croirait jamais chez des princesses, au milieu de ces malpolies !

C'est l'heure du petit déjeuner. Comme d'habitude, les jumelles Perla et Précieuse font leur numéro...

Cette bêcheuse de Perla n'aurait qu'à tendre la main pour l'attraper, son pot de confiture !

Je regarde Daisy. Elle fixe son assiette sans répondre, comme si elle n'avait pas entendu. Alors, Alice s'empare elle-même du bocal poisseux et le pose avec colère sous le nez de Perla.

— La confiture, Votre Majesté ! lance-t-elle d'un ton sec.

— Je suis désolée de t'avoir autant dérangée, ironise Perla.

Puis, elle dévisse le couvercle du pot et verse la moitié du contenu sur sa tartine.

Sophie, qui est assise auprès de Daisy, remarque elle aussi son air bizarre…

— Ça ne va pas, Daisy ? s'inquiète-t-elle. Tu ne dis rien !

Daisy secoue tristement la tête.

Aussitôt, nous l'entourons avec affection en lui demandant ce qui se passe.

Elle est si douce, si gentille notre amie Daisy… Aucune de nous ne veut la voir malheureuse !

Elle bredouille :

— C'est à cause de la sortie de classe… J'aimerais mieux ne pas y aller : j'ai tellement peur !

— Une sortie de classe ? je répète, étonnée. Aujourd'hui ?

C'est vrai : je ne suis presque jamais au courant de rien, dans cette école !

Il faut dire que j'oublie sans arrêt de consulter le tableau d'affichage… Comme ce matin, d'ailleurs.

De toute manière, je n'en aurais pas eu le temps ! Un peu plus, et j'arrivais en retard au réfectoire.

Avec Émilie, en quittant la chambre, nous avons aperçu de

grands carrosses, par la fenêtre. Ils traversaient la cour principale, tirés par des chevaux magnifiques. Alors forcément, nous sommes discrètement sorties pour les regarder de plus près…

Quand la cloche du petit déjeuner a sonné, nous avons couru comme des flèches à la salle à manger !

— Ne me dis pas que tu ne le sais pas : nous rendons visite à une sorcière ! raille très fort Précieuse. Vous devriez lui réclamer un philtre de courage, pour Daisy !

Sur quoi, elle s'éloigne le menton relevé en ricanant de sa

propre blague… comme une sorcière justement !

Je l'ignore superbement. Je préfère attraper Charlotte par le poignet et me renseigner :

— C'est vrai ? Nous allons rencontrer une sorcière ?

Mon amie opine du chef, l'œil brillant.

— Oui, tu te rends compte ! C'est affiché dans le hall. Fée Angora nous emmène passer l'après-midi chez Sylvia l'Herboriste, la Sorcière Guérisseuse du Royaume. Elle va nous parler de Magie Blanche !

Au même instant, le Prince Dandy surgit dans la pièce, Lady Albina, la Secrétaire de Direction des Tours d'Argent, sur les talons.

Le fringant prince est responsable des excursions de notre programme. D'ailleurs, il paraît tout joyeux ! Lady Albina, elle, fait plutôt la tête…

Alice, en voyant cela, se met à pouffer.

Elle me susurre à l'oreille :

— Ma grande sœur était là, l'année dernière. Elle m'a raconté que Lady Albina déteste les sorties de classe. Elle a peur que les élèves se perdent !

— Mes chères princesses ! déclame soudain le Prince Dandy. Cette journée s'annonce formidable ! Comme vous le savez peut-être, la Reine Samantha tient à ce que vous découvriez le monde qui vous entoure…

Il s'interrompt, le temps de toiser la secrétaire d'un regard très princier, puis il poursuit :

— Or, Sylvia l'Herboriste a offert de vous inviter dans sa jolie demeure ! Vous irez là-bas en carrosse. Fée Angora vous attendra à la Grande Porte après déjeuner, à quatorze heures précises. Surtout, ne soyez pas en retard !

Sur quoi, il quitte le réfectoire aussi vite qu'il y est entré !

Lady Albina renifle avec désapprobation.

— Vous trouverez sur le panneau d'affichage le numéro de votre carrosse, nous informe-t-elle rudement. Portez toutes votre badge d'identification, je vous prie. Et obéissez à la lettre à votre accompagnatrice. Merci !

Tandis qu'elle sort à son tour, majestueuse, je serre Daisy sur mon cœur pour la rassurer. Mes amies Émilie, Charlotte, Alice et Sophie s'empressent de m'imiter.

— Tout se passera bien ! je tente de réconforter mon amie. Tu ne risques rien : nous sommes là pour veiller sur toi.

À ces mots, un large sourire se dessine sur les lèvres de notre amie : nous pouvons aller en cours !

Chapitre deux

C'est notre première sortie scolaire !

Sauf une ou deux fois l'an dernier, pour une parade, ou le bal du Roi Perceval. Nous nous y étions rendues à dos de dragon volant, je m'en souviens !

Il n'empêche, cela nous fait tout drôle de quitter le domaine des Tours d'Argent, cet après-midi…

Nous sommes nombreuses à nous rendre chez Sylvia l'Herboriste. Un carrosse précède le nôtre et deux autres le suivent.

Par chance, nous sommes ensemble dans la voiture. Et sans ces pestes de Précieuse et Perla ! Elles sont en queue de cortège… ce qu'elles n'apprécient pas, mais alors pas du tout !

— À votre avis, je lance à la cantonade. Cela ressemble à quoi, la demeure d'une guérisseuse ?

— Aucune idée, soupire Charlotte. Pas à une grotte immonde et pleine d'araignées, j'espère !

— Moi, je le sais ! intervient Alice. Sylvia habite au milieu des Bois Dormants. Ses remèdes

magiques sont réputés à travers tout le pays ! Elle est tisseuse, aussi. Et fileuse. Il y a des coussins partout, dans sa maison. Des tapis. Des tas de trucs comme ça. Elle confectionne elle-même ses vêtements. Ils ont des couleurs fabuleuses, il paraît !

Émilie écarquille les yeux, surprise.

— Une sorcière couturière ? Ça alors !

— Je croyais qu'elles étaient toujours en noir ! je renchéris. Avec des chapeaux pointus !

— Oui, ajoute Daisy. Avec des verrues sur le nez, et du poil au menton ! Et le pire, c'est qu'elles détestent les princesses… Elles leur jettent des mauvais sorts horribles !

Sophie hausse les épaules.

— La Reine Samantha ne nous enverrait jamais en stage chez quelqu'un de si dangereux, voyons ! Vous avez bien lu le règlement intérieur ? « Nos élèves sont placées sous la plus haute protection. » Vous imaginez, la publicité pour les Tours d'Argent, si une affreuse sorcière nous plongeait « dans un profond sommeil qui durera cent ans » !

Là, nous éclatons toutes de rire. Même Daisy !

Nos carrosses s'engagent à présent sur un sentier accidenté couvert de feuilles mortes. Ils bringuebalent encore plus qu'avant, cahotent à travers bois... et je

réalise brusquement combien j'ai hâte de rencontrer cette fameuse sorcière !

Enfin ! Nous arrivons !
La chaumière de Sylvia l'Herboriste est adorable, nichée à

l'ombre d'un énorme chêne. À côté de l'arbre, elle paraît encore plus minuscule, une vraie maison de poupée !

Fée Angora nous attend devant la toute petite porte d'entrée.

Nous nous dépêchons de descendre du carrosse afin de la rejoindre.

— Attention à ne pas vous cogner la tête en entrant, nous recommande-t-elle. Écoutez bien ce que l'on vous dira, et ne vous

étonnez de rien de ce que vous verrez !

Là-dessus, elle pousse la porte. Intimidées, nous passons le seuil sur la pointe des pieds...

Incroyable !

À l'intérieur, c'est immense ! Immense... et extraordinaire !

Une fresque fantastique est peinte au plafond. Je ne peux en détacher mes yeux !

Il y a des centaines d'étoiles scintillantes, d'abord. Et aussi des petits anges à la peau bien rose, avec des trompettes d'or et de grosses joues gonflées d'air...

Soudain, je ravale un cri.

De minuscules voiliers flottent parmi les étoiles ! Ils bougent vraiment ! Et ce sont les anges, qui s'amusent à les envoyer de-ci, de-là, en soufflant dessus... Ça doit être trop rigolo, ce jeu !

Je suis si accaparée par ce spectacle magique, que je bondis sur place lorsque je sens mon coude heurter quelque chose.

— Oh, pardon ! je m'excuse vite en baissant le regard vers la personne que j'ai cognée.

Mais il ne s'agit pas de quelqu'un, non. Je suis en train de parler à un balai !

Un balai qui s'incline poliment devant moi! Pendant un instant, j'en ai le souffle coupé…

— Je vois que mon fidèle balai s'est entiché de vous, Princesse Katie! s'exclame une belle voix chaude, dans mon dos.

Pivotant sur mes talons, je me retrouve face à Sylvia l'Herboriste en personne !

Elle est grande, pas vraiment jolie. Mais elle me sourit avec une telle bonté, et sur son visage brillent un tel savoir, une telle sagesse…

Je devine aussitôt qu'elle est très, très, très âgée.

Elle porte une robe étincelante, en soie ambrée. Un châle frangé vert émeraude lui enveloppe les épaules, et des lys dorés enroulent son chignon.

— Bienvenue dans mon humble logis, chères Princesses ! nous

accueille-t-elle alors. Je vous en prie, installez-vous !

Cette chaumière est l'un des endroits les plus somptueux que je connaisse !

Dans l'âtre, le feu crépite généreusement.

Au pied de la cheminée s'étalent des plaids épais, des tapis de laine duveteuse et des monceaux de coussins douillets aux couleurs chatoyantes de l'arc-en-ciel.

Les élèves du premier carrosse y sont déjà assises. Elles semblent si bien ! Je remarque un mignon chaton noir qui ronronne en boule, sur les genoux de Princesse Louise.

Toutes les six, nous nous dirigeons vers un tas d'oreillers moelleux. Nous nous enfonçons dedans : on dirait des nuages !

Il n'existe rien de plus confortable au monde !

Je me renverse légèrement en arrière, afin d'observer les petits anges et les voiliers, au plafond… C'est si paisible, je me croirais au Paradis !

Mes paupières commencent à s'alourdir, quand un toc, toc, toc rageur, à la porte, me ramène brutalement à la réalité.

Sylvia, occupée à trier des flacons sur une table, lève la tête.

— Malédiction ! s'écrie-t-elle. Fée Angora n'est plus dehors pour ouvrir aux dernières élèves !

Elle se tourne vers moi et ajoute :

— Princesse Katie, faites-les entrer sans tarder, voulez-vous ?

Je saute sur mes pieds et me précipite à la porte.

À peine ai-je tourné la poignée, que Précieuse et Perla s'engouffrent dans la chaumière comme des furies…

Chapitre trois

Les jumelles balaient la pièce d'un regard hautain.

— C'est donc ça, une maison de sorcière ! crache Perla avec dédain. Quelle classe !

— Je me demande ce que Mère dirait, si elle nous voyait ici !

enchaîne Précieuse en relevant le nez d'un air choqué.

Loin de se fâcher contre ces pestes, Sylvia l'Herboriste leur adresse un sourire lumineux.

— J'ai bien connu votre arrière-grand-mère, vous savez,

mes enfants! La Reine Opaline était l'une de mes meilleures amies. Cela me fait grand plaisir, de vous rencontrer. Asseyez-vous avec nous!

Sur le coup, Précieuse et Perla se sentent toutes bêtes.

Elles poussent un gros soupir : on jurerait entendre un ballon qui se dégonfle ! Puis elles s'affalent bon gré mal gré, dans deux poufs rebondis.

J'aperçois Alice, du coin de l'œil. Un peu plus, et elle exploserait de rire !

Les dernières élèves de notre classe arrivent là-dessus. Fée Angora les suit de près, en sueur et bouleversée.

— Je suis si navrée ! s'écrie-t-elle hors d'haleine. J'avais oublié le cahier d'appel de Lady Albina dans mon carrosse. J'ai dû courir le rechercher ! Albina m'en voudrait terriblement si je ne vérifiais pas la présence de nos princesses !

Sylvia pousse gentiment l'étourdie vers un gros fauteuil de velours. Fée Angora est ravie de s'y reposer ! Aussitôt, le chaton noir saute se lover sur ses genoux tandis qu'elle coche nos noms, dans le cahier de la secrétaire des Tours d'Argent...

— Reprenez votre souffle, très chère Angora ! l'invite alors la guérisseuse. Pendant ce temps, j'enseignerai à vos élèves les

secrets de préparation d'une
potion anti-angoisse…

Elle se tourne vers nous et pro-
pose en souriant :

— Qui veut m'aider?

J'ai l'impression qu'elle dévisage Daisy, à ce moment-là.

Mon amie aurait trop peur, c'est sûr! Je me dépêche de lever le doigt.

— Merci de vous porter volontaire, Princesse Katie, accepte l'herboriste.

Je suis quand même assez nerveuse, en me rendant à la table. Elle est couverte de fioles étranges, aux formes et contenus bizarroïdes…

Mais pourquoi m'en faire? C'est tellement facile, en réalité! Je n'ai qu'à lire le nom des plantes sur les étiquettes. Et c'est Sylvia qui les mélange comme il le faut dans sa grande jatte en argent !

Bientôt, une délicieuse odeur emplit l'atmosphère...

— Voilà ! Il ne nous manque plus qu'un ingrédient, annonce enfin la sorcière.

Je déchiffre « Huile Essentielle de Pin Bicentenaire » sur la flasque.

Et Sylvia verse avec grâce une bonne rasade du liquide doré dans sa préparation.

Fizz ! Une volute d'étincelles s'en échappe en grésillant !

— C'est prêt ! se félicite la guérisseuse.

Elle emplit un flacon en cristal
de son philtre magique, avant de

le brandir à la lumière. Le fluide brillant est d'une transparence parfaite.

— Opération réussie ! se réjouit-elle. Et maintenant, à vous ! Vous allez voir, c'est simple comme bonjour…

Elle réfléchit un bref instant, puis ajoute :

— Katie, puisque vous êtes là, à vous l'honneur ! Montrez-nous ce dont vous êtes capable, princesse ! Charlotte et Sophie essaieront aussi. Ainsi que Perla, Émilie, Daisy et Alice. Oh, et n'oublions pas Précieuse !

Mes amies me rejoignent devant la table. Les jumelles, elles, restent obstinément à leur place.

Je suis déjà toute contente : au moins, elles vont nous ficher la paix ! Mais voici que le balai magique les force à avancer !

— Quelle joie, Précieuse ! crache Perla. Nous, faire une potion magique !

— On nous prend pour des cuisinières ! grimace Précieuse. Mère exploserait de rage : elle tient tant à ce que nous ayons recours aux domestiques !

Cette fois encore, Sylvia ne les gronde pas. Pourtant, ce sont

vraiment d'horribles pimbêches arrogantes !

Sans les écouter, la guérisseuse va chercher une autre jatte. Elle la pose sur la table en conseillant :

— Appliquez-vous, vous avez tout votre temps. Et tâchez de ne

nourrir que de bonnes pensées, en préparant votre philtre. C'est très important, car vos souhaits les plus secrets peuvent influer sur votre potion… Prudence, princesses !

Sur quoi, elle part s'occuper des autres élèves.

Elle leur montre les fleurs séchées, et les différentes plantes qu'elle utilise pour teindre la laine…

Chapitre quatre

Finalement, c'est bien compliqué, de concocter une potion… sans une sorcière pour vous guider !

Avec nous, les herbes sont mélangées beaucoup trop vite. En plus, les jumelles saisissent la même flasque d'huile de plante, et splaf! elle se répand partout!

Ensuite, Perla touille notre mixture si fort qu'elle déborde de la jatte. Aussitôt, un effluve des plus surprenants s'envole dans la pièce…

Puis Précieuse trébuche dans un panier de lavande, par terre. Les fleurs sont projetées dans tous les sens et là, j'en suis certaine : cette histoire va très mal se terminer!

Découragée, je suggère à mes amies :

— Avouons vite à Sylvia que nous sommes nulles en magie!

— Oh non ! s'insurge Daisy, à ma grande stupéfaction. Réessayons plutôt !

— Oui, persévérons ! renchérissent en chœur Alice et Sophie.

Émilie et Charlotte hochent la tête, elles aussi.

Seules Précieuse et Perla croisent les bras d'un air boudeur.

— Hors de question, ronchonne la première. Nous votons l'abandon !

Mais à peine finit-elle sa phrase, que le balai enchanté bondit en avant !

En deux temps trois mouvements, il rassemble la lavande

sur le carrelage. Il saute sur la table, remet toutes les fioles en ordre et éponge la flaque d'huile.

— Ça alors ! je m'émerveille. Merci mille et mille fois, Monsieur Balai !

Il exécute alors une charmante petite révérence, puis se recale bien immobile contre le mur.

— Recommençons! s'écrie Alice. Nous pouvons y arriver, si nous le voulons!

Le balai frémit, un peu comme s'il approuvait de la pointe du manche.

Nous rions de bon cœur. Précieuse et Perla, bien sûr, font mine de ne rien remarquer…

Tant pis pour elles. Je clame joyeusement:

— Au travail, princesses!

Alice et Charlotte sélectionnent les différentes herbes pendant qu'Émilie et Sophie choisissent les essences. Daisy et moi mélangeons bien tout dans la jatte, à tour de rôle. Daisy ferme les paupières : elle s'applique vraiment.

— Je m'efforce de n'avoir que de bonnes et belles pensées, explique-t-elle.

Ça me rassure. Parce que moi, en réalité, je bous littéralement de colère !

Précieuse et Perla nous laissent tout faire !

Je les fixe avec sévérité, en tournant la louche. Ces sales chipies restent là sans bouger. Elles m'énervent tellement qu'il faut que je me morde la langue pour ne pas les insulter !

Je ne peux m'empêcher de souhaiter tout bas qu'elles s'en aillent...

Oh oui, combien je le souhaite! Elles gâchent complètement l'ambiance.

Le pire, c'est quand nous finissons la potion : ce sont elles deux qui lèvent la main en appelant Sylvia !!!

— Mission accomplie, mademoiselle ! minaude Précieuse,
incroyablement angélique.

Perla me jette un coup d'œil
glacial avant de renchérir :

— Et nous avons tout fait nous-
mêmes, mademoiselle !

Si l'herboriste note que je
fusille les jumelles du regard, elle
ne dit rien.

Elle se contente de soulever
la jatte sous son nez et de humer,
paupières mi-closes, notre potion.

— Hum…, chuchote-t-elle
d'un air entendu.

Puis, elle repose le récipient sur la table.

À cet instant, le chaton noir quitte les genoux de Fée Angora et vient voir, curieux, ce que nous fabriquons.

Il se frotte contre ma cheville. Surprise, je tressaute ; je cogne le

coin de la table et notre jatte se met à se balancer de droite à gauche.

Au moins la moitié de notre potion est éjectée par la secousse. Le balai est éclaboussé au passage et… voici qu'il disparaît !

Tout le monde étrangle un cri d'étonnement.

Mais pas moi. Car moi, je sais pourquoi il a disparu. Et je sais à cause de qui…

Je suis la coupable !

J'ai souhaité que Précieuse et Perla s'en aillent, en mélangeant la potion.

Je nourrissais de sombres pensées et elles ont infecté notre préparation, juste comme Sylvia l'a expliqué.

Sans le vouloir, j'ai fait de la Magie Noire… Celle des mauvais sorciers !

Chapitre cinq

Que faire ?!

Je panique totalement !

Même Sylvia paraît choquée…

— Mon Dieu ! dit-elle. Si je m'attendais à ça… Mon meilleur balai, en plus !

Elle se tourne alors vers les

jumelles Précieuse et Perla, et les interroge :

— Puis-je vous demander la nature de vos pensées, au moment où vous prépariez la potion ?

Là, si je ne me sentais pas aussi mal, je hurlerais de rire ! Les sales tricheuses se retrouvent bien attrapées !

Le teint de Précieuse vire au jaune et celui de Perla au rouge brique… Elles ouvrent et ferment bêtement la bouche comme des poissons hors de l'eau !

L'herboriste contemple notre jatte en fronçant les sourcils.

— C'est de l'excellent travail,

apprécie-t-elle. Pourtant, il y a un sérieux problème quelque part…

Brusquement, j'ai un plan génial ! Je n'ai qu'à me faire disparaître, moi aussi, et peut-être que je pourrai rapporter le balai !

Je m'exclame :

— Tout est ma faute ! Je vous en prie, laissez-moi réparer !

Vite, je plonge la main dans la potion en fermant fort les yeux… mais rien ne se produit.

Sauf que je me mets à éternuer, et éternuer, et éternuer !

J'ai l'impression que je ne m'arrêterai jamais ! Et puis, Précieuse et Perla éternuent à leur tour. Elles envoient tout val-

dinguer sur la table. Excepté la jatte qui tient bon.

Des tas de plantes jonchent le carrelage, les fioles explosent au sol en mille morceaux... Quel bazar épouvantable ! Un vrai désastre.

Évidemment, Fée Angora se précipite à notre secours...

— Non ! la retient l'herboriste d'un geste péremptoire. Ces trois princesses doivent évacuer sans tarder leurs mauvais souhaits !

Nous éternuons, éternuons, éternuons...

Jusqu'à ce que, petit à petit, je

me calme, suivie de Précieuse, puis de Perla.

Ouf ! Je bafouille, embarrassée :

—Je regrette, Sylvia, vraiment, c'est trop affreux... Votre balai reviendra-t-il un jour ?

— Constatez par vous-même, Princesse Katie, déclare cette dernière.

Elle pointe l'index vers le mur. Je scrute dans cette direction, mais je ne vois rien.

Ah si : quelques brins de paille apparaissent. Et un manche en bois, maintenant, et...

Le balai !

Je suis si heureuse de le voir de retour, que je lui fait une révérence en m'excusant :

— Pardon de vous avoir fait disparaître, Monsieur Balai !

Ce dernier sautille sur place.

— Parfait, sourit la gentille sorcière. Il se porte comme un charme !

— Mais qu'est-il arrivé ? interroge Fée Angora.

À ces mots, Sylvia me regarde droit dans les yeux. Je comprends instantanément ce qu'elle attend de moi.

Je fais de nouveau la révérence, pour elle et pour Fée

Angora en même temps. Je prends ensuite une profonde inspiration, puis je m'incline devant Précieuse et Perla.

Je déglutis avec peine avant d'avouer :

— Je suis sincèrement désolée. J'espérais que vous ne seriez pas là, avec nous, que vous partiriez ! Je sais : j'ai une chance folle d'avoir à mes côtés mes cinq meilleures amies. Et je devrais simplement me réjouir que de nouvelles princesses se joignent à nous… Seulement voilà : je ne l'ai pas fait.

— Merci, Katie, jette Sylvia. À présent, à vous, Précieuse et Perla.

Je me mords les lèvres. Elles vont nier, c'est certain ! Elles vont jouer les victimes et…

— Je… je suis désolée, murmure Précieuse, une boule dans la gorge.

J'écarquille les yeux, abasourdie. Je me suis trompée !

Perla, elle, enrage.

— Précieuse ! s'écrie-t-elle, horrifiée.

— Je souhaitais que Katie s'en aille, continue malgré tout sa sœur. Et toi aussi, Perla, tu le souhaitais, tu le sais très bien ! Elle est toujours si parfaite, toujours si gentille avec Daisy…

Deux grosses larmes roulent le long de ses joues. Elle hoquette encore :

— Tout le monde l'aime, cette Katie, alors que moi, personne ne m'aime jamais !

Et elle commence à pleurer et sangloter.

La pauvre ! Précieuse ne joue pas la comédie… Elle a vraiment du chagrin ! Alors, devine un peu ce que je fais ?

C'est étrange, je sais. Mais je ne peux pas m'en empêcher. Je la serre dans mes bras pour la consoler !

— Bon, ben, dans ce cas, moi aussi, je suis désolée…, articule Perla entre ses dents.

Elle, par contre, n'est pas sincère, cela s'entend. Pourtant, Sylvia sourit comme si elle la croyait à cent pour cent !

— Tant mieux ! affirme-t-elle. Il ne nous reste plus qu'à vérifier votre potion !

Nous nous rassemblons autour de la table, afin de jeter un coup d'œil dans la jatte. Le philtre magique est devenu aussi pur, étincelant et transparent que celui de l'herboriste !

— Excellent ! applaudit-elle. Vos élèves ont bien suivi la leçon, vous ne trouvez pas, Fée Angora ?

— Je partage entièrement votre avis, Sylvia...

La fée nous couve d'un regard fier avant de conclure :

— Je leur accorde dix Points Diadème chacune !

— Comment ?! s'étrangle alors Précieuse. Mais nous ne les méritons pas !

— Ma chère princesse, intervient la sorcière guérisseuse. Vous avez appris quelque chose de beaucoup plus important que la confection d'une potion, aujourd'hui...

Précieuse rayonne littéralement de bonheur !

Quant à Perla, elle fixe juste ses pieds d'un air grincheux…

— Place aux réjouissances, maintenant ! déclare alors Sylvia. Fêtons comme il se doit cette bonne journée… Princesse Katie, demandez donc à Monsieur Balai de mettre un peu d'ordre !

Chapitre six

Le balai pirouette sur lui-même, puis se prosterne devant moi. À mon tour, je m'incline dans une profonde révérence.

— Monsieur Balai, s'il vous plaît… Auriez-vous l'amabilité de nettoyer un peu ?

Et aussitôt, il s'emballe !

Il fuse à travers la pièce, où il ramasse tous les coussins qu'il empile proprement dans un coin. La seconde d'après, il vide et essuie la table, puis replace les fioles sur l'étagère…

En moins de deux, l'endroit est propre, net et bien rangé !

Alors, Sylvia l'Herboriste tape dans ses mains… Et là, c'est carrément prodigieux ! Les petits anges aux joues roses, au plafond, se mettent à jouer de la trompette ; une musique si envoûtante que nous commençons à valser, dans le salon. Même le chat noir se trémousse en rythme !

J'invite Monsieur Balai, et nous tournoyons ensemble, fonçant d'un bout à l'autre de la pièce.

Je m'apprête à entraîner Alice au passage, lorsqu'une idée soudaine me fait changer d'avis.

J'approche de Précieuse, j'exécute une courbette parfaite et récite, très solennelle :

— Votre Altesse Royale me fera-t-elle l'honneur de cette danse ?

— Tout le plaisir est pour moi ! s'incline-t-elle en retour avec courtoisie.

Nous nous élançons sur la piste en riant. Nous virons, virevoltons, valsons comme des folles, jusqu'à ce que la tête nous tourne tellement que nous ne pouvons plus continuer…

Au même moment, la porte d'entrée s'ouvre en grand !

Ébranlées par le fracas, de minuscules étoiles se détachent

du plafond. Elles pleuvent, scintillantes, sur les épaules du Prince Dandy qui arrive justement, un large sourire aux lèvres.

Derrière lui, une escorte de jeunes pages chargés des pizzas les plus succulentes du monde : les Pizzas Royauté !

Hourra! Nous courons nous installer sur les coussins de toutes les couleurs, et en avant la Pizza Party!

Les anges interprètent des morceaux plus calmes, en musique de fond, tandis que nous nous régalons tout en bavardant et pouffant à qui mieux mieux.

Une journée chez Sylvia l'Herboriste, c'est fantas-magique!

Plus tard, dans la soirée, nos carrosses nous reconduisent aux Tours d'Argent.

Je pousse un soupir de bien-être.

— Ce n'était pas génial ? je demande à mes amies.

— C'était fabuleux ! acquiesce Daisy, le visage lumineux de bonheur. Et je n'ai pas eu peur. Pas une seconde !

— Merci la potion anti-angoisse de Sylvia, dit Charlotte en bayant aux corneilles.

Daisy secoue la tête. Elle corrige :

— Non, ce n'est pas grâce à la potion. C'est grâce à vous ! Je savais que vous veilliez sur moi… surtout Katie !

— Nous veillons toutes les unes sur les autres, je précise.

Et c'est la vérité vraie.

Mes meilleures amies sont les princesses les plus formidables de la planète !

En plus, nous avons la chance extraordinaire d'étudier ensemble aux Tours d'Argent… et je suis très heureuse que tu nous tiennes compagnie, toi aussi !

FIN

Que se passe-t-il ensuite ?
Pour le savoir, tourne vite la page !

L'aventure continue à la Princesse Academy avec Princesse Daisy !

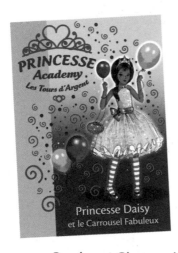

Bonjour ! C'est moi, Princesse Daisy.
Aujourd'hui, nous sommes invitées
à la grande fête organisée par le Roi Perceval !
Au programme : l'Orchestre Royal, les canots
du Lac Majestueux et... le Carrousel Fabuleux.
Mais voilà : j'ai très peur des manèges !
Comment l'avouer à mes amies ?
Ces pestes de Précieuse et Perla vont sûrement
se moquer de moi...

Les as-tu tous lus ?

Retrouve toutes les histoires de
Princesse Academy dans les livres précédents.

*Princesse Charlotte
ouvre le bal*

*Princesse Katie
fait un vœu*

*Princesse Daisy
a du courage*

*Princesse Alice
et le Miroir Magique*

*Princesse Sophie
ne se laisse pas faire*

*Princesse Émilie
et l'apprentie fée*

Saison 2 : les Tours d'Agent

*Princesse Charlotte
et la Rose Enchantée*

Connecte-toi vite sur le site de tes héros préférés :
www.bibliothequerose.com
· Tout sur ta série préférée
· De super concours tous les mois

 # Table

Imprimé en France par Qualibris *(J-L)*
n° dépôt légal: 87011 - mai 2007
20.20.1381.1/02 ISBN : 978-2-01-201381-0
Loi n° 49956 du 16 juillet 1949
sur les publications destinées à la jeunesse